Ce livre, réalisé avec le concours de Kodak, est le treizième titre
de la collection *cahiers d'images.*

A paraître du même auteur :

Miss Tombouctou
Transit
Le Nain Chéri
Fleur de Lotus

© Contrejour. 32, rue Saint-Marc. 75002 Paris. 1992
© Camille de Casabianca. 1992

ISBN N° 2-859-49144-9
Dépôt légal 4ᵉ trimestre 1992

Camille de Casabianca

UNE FIN

Cahier d'images

Escale à Rome. Tu es à Carcassonne.

Je reste longtemps dans une église.

En sortant, une pluie d'oiseaux dans le ciel.

J'arrive à Addis Abeba.

La gare, où tu étais passé.

En Erythrée, c'est la guerre.
Il y a des medecins.

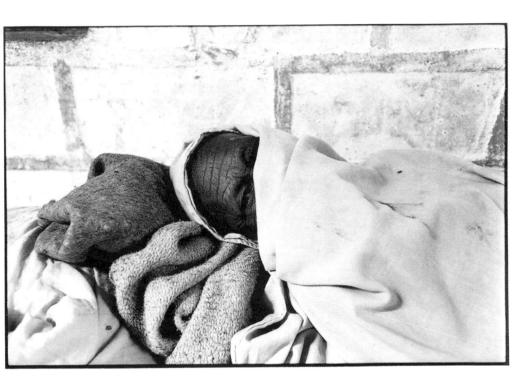

Il y a des blessés,

des tas de blessés

qui attendent.

Il y a des femmes

qui attendent aussi.

Ce monsieur me fait penser à toi.

Il y a une femme enceinte

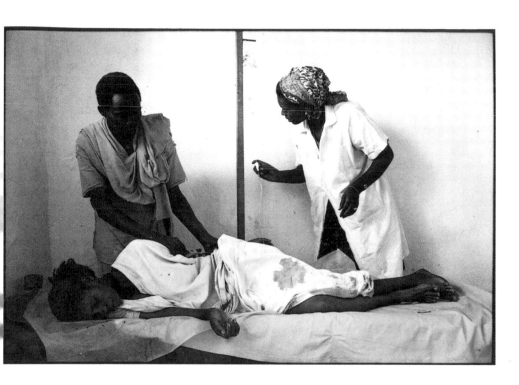

qui tombe malade,

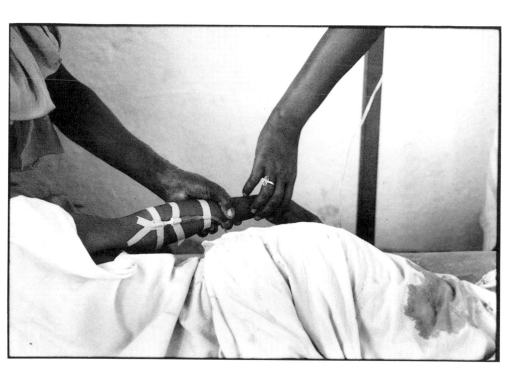

très malade.

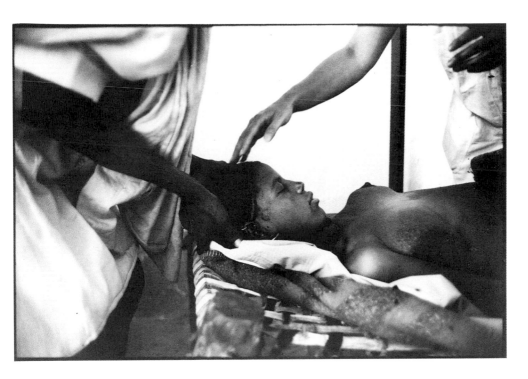

Elle meurt.

Je suis l'enterrement.

Puis je m'en vais (Addis Abeba — route de l'aéroport)

vers l'Océan Indien . (Ile de la Réunion).

Il n'y a plus personne pour faire des photos
de moi. (Ile Maurice).

Pourvu que tu ne te maries pas
à l'église. (Ile Maurice).

Je rentre . (Seychelles).

Il me reste les lieux, où retourner.

La terrasse de Saint Germain.

La Corse.

Paris que j'aime, au fond.

New York...

Il me reste Martin.

Remerciements à l'A.I.C.F. et à sa mission Ethiopie.

Achevé d'imprimer sur les presses
de l'Imprimerie Darantière à Dijon-Quetigny
en septembre 1992.